LA RÉGRES
VIES AN

Florence Wagner McClain

LA RÉGRESSION VERS LES
VIES ANTÉRIEURES
et comment améliorer votre vie présente

Libérez-vous de vos habitudes négatives
Cultivez l'intuition et la clairvoyance
Débarrassez-vous de vos peurs

Traduit de l'anglais par
Annie Labonté

LES ESSENTIELS

OCTAVE
ÉDITIONS

Couverture et mise en page : Michel Laverdière

Titre original : The Truth About
          Past Life Regression
          Llewellyn's Vanguard Series

Copyright © 1994, 2013, Llewellyn Publications
          A Division of Llewellyn Worldwide, Ltd.
          P.O. Box 64383-K687,
          St. Paul, MN 55164-0383, U.S.A.

Copyright © 2013, Éditions Octave Inc.
          pour la traduction française

ISBN : 978-2-923717-94-4

Dépôt légal : Bibliothèque et Archives nationales du Québec, 2013
          Bibliothèque et Archives Canada, 2013

Site Internet : www.editionsoctave.com

Imprimé au Canada

PARTEZ À L'AVENTURE
EN DÉCOUVRANT
VOS VIES ANTÉRIEURES !

Croire tout connaître de notre vie actuelle, c'est comme penser tout savoir sur l'océan parce que nous en avons observé la surface et les vagues et que nous avons mesuré les marées.

Ce que nous avons fait hier détermine ce qui se passe aujourd'hui, comme ce que l'on fait aujourd'hui détermine ce qui arrivera demain. Lorsque nous prenons connaissance des expériences de nos vies antérieures, nous pouvons nous appuyer sur les forces, les connaissances et la sagesse acquises dans celles-ci pour enrichir notre vie actuelle. Non seulement avons-nous le pouvoir de nous libérer des schémas autodestructeurs développés au cours des vies passées, nous pouvons également faire de précieuses découvertes qui rendront notre vie actuelle plus productive et plus épanouie.

Ceux qui acceptent d'emblée le concept de la réincarnation voient la mort comme un congé d'été entre les périodes scolaires. La vie éternelle n'est pas un objectif nébuleux du futur, vous la possédez déjà. Tout ce que vous avez toujours voulu savoir sur la régression vers les vies antérieures vous permettra d'affirmer votre existence comme esprit éternel.

INTRODUCTION

Avez-vous déjà vécu sous une autre forme physique, dans un autre lieu et à une autre époque ? Vous êtes la seule personne qui puisse répondre à cette question en explorant, grâce à la régression, le vécu spécifique et individuel de vos vies antérieures.

La régression vers les vies antérieures est un processus simple et sécuritaire qui n'a rien à voir avec les scènes dramatiques présentées à la télévision ou au cinéma. Il s'agit plutôt d'une expérience qui représente un outil précieux dans la quête de l'épanouissement personnel et qui peut servir de guide dans la résolution de problèmes. De plus, la régression permet d'ouvrir des portes vers de nouveaux horizons.

LE TRÉSOR PERDU

« Tourner ici ? Comment, tourner ici ? C'est un cul-de-sac ! Je ne sais pas pourquoi je me suis laissé embarquer là-dedans… »

« S'il-te-plait Greg, continue un peu, nous sommes presque arrivés. »

Greg prit alors la petite route de terre et s'arrêta à la clôture barbelée qui bloquait le chemin. Sandy sortit précipitamment de la voiture, traversa la clôture et était déjà rendue à mi-chemin dans le pré lorsque Greg finit par la suivre en grommelant.

« Je n'en reviens pas que tu sois en train de faire ça. Je n'en reviens pas d'avoir parcouru plus de cent soixante kilomètres pour une chasse aux sorcières déclenchée par un stupide jeu. Surtout, je n'en reviens pas que tu croies dur comme fer te souvenir d'une vie antérieure. »

« Ce n'est pas une chasse aux sorcières. Tu n'as qu'à faire l'expérience d'une régression toi-même pour comprendre. »

« Ce que je comprends, c'est que je retourne attendre dans la voiture jusqu'à ce que tu reprennes tes esprits. »

« Attends ! Regarde, voilà le ruisseau. Exactement comme dans mon souvenir ! Viens, il reste à peine un demi kilomètre pour y arriver. »

Greg suivit Sandy à contrecœur à travers l'épaisse végétation menant au ruisseau bordé de pacaniers et de chênes.

« Voilà, je te l'avais dit ! Regarde, comme dans mon souvenir. »

Greg sentit un frisson le parcourir. La scène était exactement telle que Sandy l'avait décrite. Les hautes herbes faisaient place à une clairière, se séparaient pour laisser entrevoir un passage pour traverser le ruisseau. On pouvait encore distinguer les profondes ornières qui marquaient la traversée entre le sous-bois et le pré.

Le jeune homme passa la main distraitement sur un objet à demi enfoui dans le sol puis, se pencha pour le retirer de la terre meuble. Il s'agissait de la roue soit d'un charriot ou d'une vieille diligence. Ses mains tremblaient.

« Sandy, raconte-moi ce dont tu te souviens en commençant par le début. »

« Bien, j'avais 13 ans lorsque j'ai voulu attaquer la diligence, ici, à ce passage. Nous étions désespérément pauvres. Un feu avait anéanti nos récoltes et nous nous apprêtions à affronter l'hiver avec très peu de nourriture et pas d'argent. Maman et Papa étaient allés en ville pour tenter de trouver du travail. Mon frère de 14 ans était parti à la chasse. J'étais seule à la maison.

J'ai mis des vêtements qui appartenaient à Johnny, j'ai caché mes cheveux sous un vieux chapeau et j'ai chargé le pistolet de mon père. J'ai eu l'idée de me camoufler le visage avec un morceau de tissu. Je savais à peu près à quel moment la diligence devait arriver. Je suis restée cachée dans les broussailles pour surveiller son arrivée même si je souhaitais m'enfuir le plus loin possible. Je savais que la diligence aurait à ralentir et même jusqu'à s'arrêter pour être capable de traverser à cet endroit.

Le carrosse était en retard ce jour-là. J'étais près d'abandonner lorsque je l'ai entendu approcher. J'ai remonté le morceau de tissu sur mon visage et me suis avancée avec le pistolet, juste au moment où il

atteignait le lit du ruisseau. J'ai crié au conducteur de s'arrêter. C'est là que j'ai vu l'homme à cheval qui se trouvait de l'autre côté de la diligence. Il s'est mis à rire tout en dirigeant son cheval vers moi et me dit qu'il ne se laisserait pas attaquer par un enfant.

Avant même de m'en rendre compte, un coup partit du pistolet et l'homme tomba du cheval. J'ai cru l'avoir tué. En panique, j'ai sauté sur le cheval et je me suis enfuie vers la maison au galop. Un peu plus d'un kilomètre plus loin, j'ai envoyé le cheval dans une direction et je me suis dirigée dans le sens contraire. La seule chose que j'avais prise était un sac de cuir qui pendait du pommeau de la selle. Lorsque je suis arrivée à la maison, je me suis changée, j'ai mis ma robe et j'ai caché les vêtements et le pistolet. J'ai regardé dans le sac de cuir. Il y avait deux pièces de dollar en argent et une liasse de billets verts. J'étais convaincue que les gens à mes trousses arriveraient d'un moment à l'autre et qu'ils voudraient me pendre pour meurtre. Je n'avais aucune explication satisfaisante pour tout cet argent, alors j'ai creusé un trou sous le baril d'eau de pluie qui se trouvait sur le coin de la maison et j'ai enterré le sac de cuir. »

« L'as-tu déjà déterré ? »

« Non, mais c'est ce que je vais faire aujourd'hui. »

Greg suivit Sandy qui regagnait la voiture, prit le volant et roula jusqu'à l'endroit qu'elle indiquait en poursuivant le récit de sa vie passée.

« Mes parents sont revenus de la ville où ils avaient tout appris de l'attaque. J'étais soulagée d'apprendre que l'homme n'avait été qu'atteint à l'épaule. Il était furieux cependant et offrait une récompense à quiconque retrouvait son cheval et sa sacoche ainsi qu'à quiconque pouvait l'aider à démasquer le gamin responsable.

La description qu'on faisait du « gamin responsable » a fait craindre à mes parents que mon frère Johnny avait peut-être eu quelque chose à voir avec l'attaque. Il se défendait avec insistance, affirmant qu'il était à la chasse à l'écureuil. Il avait d'ailleurs des preuves à l'appui et montrait ses prises, mais ils ne l'ont jamais tout à fait cru. De nombreuses rumeurs et hypothèses circulaient dans la communauté et le nom de Johnny y était associé la plupart du temps.

Je n'ai réalisé jusqu'à quel point tout ceci avait affecté Johnny qu'au jour où, trois années plus tard, il est mort des suites d'une pneumonie. Juste avant de mourir, il a dit : « Ce n'était pas moi, je n'ai pas volé la diligence. »

Je me sentais tellement coupable et la honte m'empêchait d'en parler à qui que ce soit. Chaque fois que j'allais dehors, le baril d'eau de pluie et le secret caché en dessous semblaient hurler ma culpabilité au monde entier.

Toute cette histoire m'a permis de comprendre pourquoi, dans ma vie actuelle, j'ai énormément de difficulté à prendre quelque chose qui ne m'appartient pas, ne serait-ce qu'un trombone. Je me sens toujours coupable, comme si quelqu'un était sur le point de m'accuser d'avoir volé quelque chose. Dans les magasins, j'ai toujours l'impression que tout le monde me regarde et me soupçonne de vol à l'étalage. Je culpabilise chaque fois qu'un objet manque en ma présence. Je suppose que je ne suis jamais parvenue à passer par-dessus ce sentiment de culpabilité pour ce que j'avais fait dans cette vie antérieure. Mais maintenant que je comprends, je peux me libérer de ces sentiments négatifs. »

Jusque-là, Sandy et Greg avaient parcouru plusieurs kilomètres sur le chemin de ferme et s'approchaient du secteur où Sandy était certaine de pouvoir retrouver l'endroit où elle avait habité avec sa famille. Greg arrêta la voiture et ils marchèrent à travers le pré, descendirent une côte et atteignirent un petit vallon traversé par un ruisseau asséché.

« Là. Ça devrait être là », dit Sandy en pointant vers un bosquet de pruniers. « Oui, il n'en reste pas grand-chose, seulement quelques pierres du foyer et de la cheminée. Là, tu vois ce creux ? C'était là que se trouvait la remise. »

Sandy examina les vestiges du foyer et recréa les limites de la maison dans son esprit. « Ici, environ, se trouvait le baril récupérateur de pluie ». Elle se mit à creuser à l'aide de la petite pelle pliable qu'elle avait apportée. La terre était dure et pleine de racines, mais elle creusa jusqu'à environ 45 cm de profondeur.

Au fond du trou, la terre se décolorait et ils aperçurent un amas de matières fibreuses qui s'avéra être la fameuse sacoche, à peine reconnaissable avec son cuir pourri et sa boucle rouillée. Il y avait également un petit tas qui pouvait ressembler à une liasse de billets verts. Un peu plus profondément dans le trou, ils trouvèrent deux pièces de métal terni, soudées l'une à l'autre : les deux dollars d'argent.

« C'est vrai, c'est bien vrai », murmura Sandy. « Toute cette souffrance et toute cette douleur à cause de ça ».

« Dis-moi Sandy, » demanda Greg d'un ton sérieux, « peux-tu me jurer que tu as découvert tout ceci grâce à la régression vers les vies antérieures ? »

« Tout à fait Greg. Absolument. »

Greg s'éloigna alors que Sandy s'assit pour réfléchir aux nouvelles perspectives sur sa vie que lui avaient offertes la régression et les expériences de la journée. C'était tellement difficile de croire que des objets aussi banals que ce sac de cuir en décomposition puissent être à l'origine d'une vie passée gâchée et d'une autre vécue dans l'ombre d'un énorme sentiment de culpabilité. Elle remit le sac dans le trou, l'enterra et coupa mentalement tous les liens émotionnels résiduels.

« Sandy, quel âge avait Johnny lorsqu'il est mort ? », demanda Greg du haut d'une petite côte entourée d'arbres, tout près. « Et quel était ton nom ? »

« Il avait 17 ans. Je m'appelais Sarah, Sarah Peters. Pourquoi ? »

« Tu devrais venir voir par ici. »

Sandy se souvint tout à coup de ce qui se trouvait sur cette petite colline. Son cœur se mit à battre plus vite à mesure qu'elle approchait du minuscule cimetière familial. Elle aperçut les roches érodées qui portaient des inscriptions à peine lisibles. On pouvait y lire le nom de sa mère et de son père, de son frère de 17 ans, mais également : « Sarah. Fille célibataire de Daniel et Jessie Peters. »

« C'est merveilleux Sandy, c'est vraiment génial ! Tu dis que la régression vers les vies antérieures est un exercice assez facile ? »

RÉFLEXIONS SUR L'IMMORTALITÉ

Sandy et Greg ont vécu une aventure très particulière qui leur a permis de suivre les indications provenant de la régression de Sandy vers ses vies passées et de trouver des preuves tangibles de la véracité de ces souvenirs. Ce n'est pas souvent le cas, mais lorsque cela arrive, les émotions sont indescriptibles. Rares sont les expériences qui procurent un sentiment d'immortalité aussi puissant que celui de se retrouver devant une tombe et se rappeler la vie qu'a vécue le corps qui y est enterré.

C'est dans ces moments qu'il devient possible de comprendre que la vie éternelle n'est pas un état auquel nous parvenons dans un futur lointain. Nous sommes déjà immortels. C'est aussi à travers ces expériences que nous prenons conscience de la nature banale et éphémère de la mort. La mort, c'est comme le congé entre les périodes scolaires.

LES RÉMINISCENCES ALCOOLIQUES

Albert James a fait l'expérience d'une régression vers les vies antérieures grâce à laquelle il s'est souvenu d'un épisode qui transforma sa vie complètement.

Albert était alcoolique. Il avait obtenu quelques succès en se soumettant à divers programmes, mais la plupart du temps, il ne pouvait se retenir de boire. La soif demeurait constamment en lui. L'effort qu'il mettait à rester sobre lui permettait d'accomplir ses fonctions habituelles, mais le maintenait à la limite de ses ressources émotionnelles et mentales. Il ne lui restait pas beaucoup de temps pour sa famille ou son travail, il peinait d'ailleurs à conserver les deux, car tous ses moments éveillés étaient consacrés à sa bataille contre l'alcool.

Après plusieurs années d'efforts plutôt décevantes, un de ses amis lui suggéra d'entreprendre une thérapie vers les vies antérieures pour tenter de trouver des solutions. Albert était prêt à tous les moyens, même s'il ne savait pas trop ce qu'il en était exactement.

Par la suggestion, le thérapeute aida Albert à se détendre et le dirigea mentalement vers la période de son passé pendant laquelle son problème d'alcool aurait débuté. Il se souvint d'une vie passée relativement récente au cours de laquelle il travaillait dans le domaine de la construction de chemins de fer dans les régions reculées d'Amérique.

Un jour, alors qu'on s'apprêtait à faire sauter une paroi rocheuse pour libérer la voie, une des charges de dynamite rata sa cible et Albert se trouva pris dans un éboulement. Le thérapeute suggéra à Albert de laisser place à ces souvenirs en mettant de côté la douleur, la détresse et tout autre sentiment similaire. Tout en se détachant émotionnellement de l'expérience, il se souvint de l'imposante masse qui l'écrasa de la taille jusqu'aux pieds.

C'était une région chaude et sèche. Les hommes manquaient toujours d'eau, car celle-ci devait être transportée jusqu'au chantier. Albert souffrait non seulement de douleurs intenses, mais il était constamment assoiffé et accablé par la chaleur. Durant presque trois jours, il endura ce supplice avant que la mort ne vienne le libérer. Son seul réconfort provenait du whisky, lorsque les hommes du chantier en trouvaient suffisamment pour le rendre inconscient et ainsi réduire ses souffrances.

Albert mourut avec une soif intense et une envie démesurée de whisky.

Cette régression vers une vie antérieure a permis à Albert de comprendre beaucoup de choses à propos de lui-même. Il se souvint que même lorsqu'il était enfant dans sa vie actuelle, il avait toujours soif et consommait d'énormes quantités de liquide. Ces parents avaient cessé de s'inquiéter à propos de cette manie lorsque le médecin de famille le déclara en bonne santé. À 19 ans, il se cassa sévèrement la jambe dans un accident de moto. C'est à ce moment que le besoin maladif d'alcool s'est installé et depuis, cette obsession dominait sa vie.

À la fin de la séance de régression, on amena Albert par suggestion à considérer ces nouvelles connaissances sur l'origine de son obsession pour cesser de se laisser dominer par elle. On lui dit : « Vous conserverez en vous les souvenirs qui vous ont permis de comprendre pourquoi vous souhaitiez tant consommer de l'alcool. Vous vous départirez, à tous les niveaux de votre esprit, du besoin néfaste de boire des boissons alcoolisées. Vous serez en parfait contrôle de vos désirs et de vos actions. »

Suite à cette expérience de régression, les situations qui habituellement déclenchaient l'obsession de boire devinrent de plus en plus rares. Albert réalisa qu'il suffisait de quelques moments de recul pour les neutraliser et s'en libérer. En quelques semaines, le besoin d'alcool disparut et, depuis 15 ans, il n'a connu aucune rechute.

EST-IL NÉCESSAIRE DE CROIRE ?

Il n'est pas nécessaire de croire en la réincarnation pour connaître les bénéfices d'une régression vers les vies antérieures. Peu importe si vous remettez en question la validité de la réincarnation, les bénéfices de l'expérience n'en seront pas moindres. « Revivre » ce qui peut être considéré comme une vie passée aide à trouver des solutions à des problèmes et à améliorer la connaissance de soi. Cela permet de prendre du recul, à regarder avec plus d'objectivité nos forces et nos faiblesses et à clarifier nos objectifs de vie. Nous comprenons mieux nos peurs et nos comportements nuisibles, ce qui nous permet de mieux nous en débarrasser.

L'expérience d'une régression nous permet d'acquérir une attitude plus ouverte sur le monde et participe à remettre les choses dans une perspective appropriée. Lorsqu'on se souvient d'avoir été membre d'une autre ethnie, il devient difficile de maintenir des préjugés ou des idées racistes. La mort devient moins menaçante et moins mystérieuse. La régression vers les vies antérieures n'est pas une solution miracle, mais demeure un outil inestimable pour améliorer votre qualité de vie actuelle.

QU'EST-CE QUE LA RÉINCARNATION ?

La réincarnation est une théorie qui propose que l'esprit ou encore la conscience d'une personne continuent d'exister après la mort et reviennent à différents intervalles pour renaître dans un nouveau corps physique dans le but d'augmenter les connaissances, la sagesse et la conscience de soi.

Selon cette croyance, tout un chacun fait l'expérience de plusieurs vies, que ce soit en tant qu'homme ou de femme, ou en tant que membres de diverses communautés ethniques, économiques et sociales. Peu importe que nous nous souvenions d'une vie royale ou d'esclavage, que nous ayons été président d'une compagnie ou concierge, nous sommes tous passés par là ou nous le serons éventuellement. Le rang social, les richesses, les titres, tout cela disparaît lorsque nous mourons. Cependant, les apprentissages et la croissance personnelle que nous procurent les différentes expériences de vie demeurent ; nous sommes la somme de nos expériences passées.

Les grandes et nobles actions ne valent pas plus que la routine d'une vie toute simple, à moins que les motivations profondes se mesurent aux actions prises. Ce qui importe, c'est ce qui motive nos actions de même que l'apprentissage et la croissance qui sont engendrés par ces expériences de vie.

LES TALENTS

Dans la vie quotidienne, il est possible d'observer des indices de vos connaissances et expériences de vie antérieures. Que ce soit un talent particulier en art, en musique, en langues ou en science, il est fort probable que vous étiez engagés dans un de ces domaines dans vos anciennes vies et que vous en retirez certains bénéfices dans votre vie actuelle. Ceci est particulièrement vrai dans le cas d'enfants prodiges.

Une jeune femme voulait apprendre à piloter un

avion. À sa première leçon, l'instructeur fut ébahi de la voir prendre avec aisance le contrôle de l'appareil et de le faire voler d'une main experte. Il ne pouvait pas, ou plutôt, il ne voulait pas croire qu'elle n'avait jamais volé auparavant. La jeune femme n'avait d'autres explications que de dire qu'elle savait instinctivement quoi faire. Ultérieurement, une régression vers les vies antérieures révéla qu'elle avait été pilote dans les premiers jours de l'aviation.

L'ANXIÉTÉ EXPLIQUÉE

Il se peut que vous éprouviez certaines peurs pour lesquelles vous ne trouvez aucune explication dans votre vie actuelle. Ou bien, certaines relations sont source de conflits sans raison apparente. Ou encore, certains lieux ou certaines choses vous causent de la détresse ou du chagrin que vous ne vous expliquez pas.

Il était une fois deux amis, un homme et une femme. L'homme prenait rarement un verre, sauf en certaines occasions. Lors de ces circonstances, la femme souffrait de crise d'anxiété, même si elle n'était pas présente physiquement. Le seul fait de savoir qu'il allait faire cette activité, ou s'il la lui racontait par la suite, suffisait pour causer une crise.

Lorsqu'on l'interrogea sur ses émotions, elle raconta qu'elle se sentait terriblement menacée et ressentait une pénible appréhension par le simple fait de savoir qu'il prenait un verre. Elle éprouvait toujours le besoin de lui faire promettre de ne pas boire et, souvent dans ces moments, elle pleurait et tremblait même si elle trouvait son propre comportement ridicule.

Lors d'une régression qu'ils effectuèrent par la suite, ils apprirent que lors d'une vie antérieure récente, ils étaient partenaires d'affaires et de grands amis. L'homme était alcoolique et sa consommation les avait entraînés dans un accident de voiture qui leur avait coûté la vie à tous les deux. À partir du moment où elle a appris l'origine de son anxiété, la femme cessa d'avoir des crises d'anxiété.

LA TRANSMIGRATION

Plusieurs idées fausses circulent en ce qui concerne la réincarnation et l'une des plus fréquentes est celle qui dit que les gens se réincarnent sous la forme d'un animal ou d'un insecte. Cette croyance s'appelle la transmigration. De tous ceux qui croient en la réincarnation, seul un faible pourcentage adhère à cette idée.

La réincarnation c'est plutôt la conviction que l'âme d'une personne survit à la mort et revient par la naissance d'un autre corps physique, un autre corps humain. Aucune information acquise lors des régressions vers les vies antérieures n'appuie la théorie de la transmigration.

Il semblerait que cette théorie provienne de la mauvaise interprétation d'anciens textes et d'allégories destinés à expliquer à l'humain les rapports qui le lient aux autres formes de vie et ses obligations qui en découlent.

L'étincelle de vie qui anime les cellules de notre corps vient de la même Source qui a procuré la vie à toutes choses. Ainsi, nous ne faisons qu'un avec tout ce qui vit autour de nous. Nous nous devons d'adopter une attitude de respect pour toute forme de vie et agir de façon responsable envers tout ce qui est vivant.

En tant qu'esprit, nous avons besoin d'un corps physique pour être capables de fonctionner dans un monde physique, sinon nous ne serions que des âmes errantes. Notre corps, cette enveloppe physique, est composé de colonies de cellules qui possèdent chacune des fonctions spécifiques qui, en coopérant les unes avec les autres, procurent à notre âme une résidence fonctionnelle et efficace. Par conséquent, nous devons prendre soin des formes de vie qui constituent notre corps et accorder à ce dernier tout le respect qu'il mérite.

Dans un même ordre d'idées, nous, les êtres humains, agissons aussi comme des colonies de cellules sur la planète. La Terre est une entité vivante et nous accueille lors de nos réincarnations. Nous avons le devoir de la respecter, de la chérir, de la guérir et de la renouveler de toutes les façons possibles. L'une de nos responsabilités en tant que « colonies » de la Terre, c'est d'en être les gardiens.

LE CHRISTIANISME ET LA RÉINCARNATION

Jusqu'au cinquième concile œcuménique de Constantinople convoqué par l'empereur Justinien en l'an 553 de notre ère, le christianisme incluait et enseignait la doctrine de la réincarnation. Ce concile avait été convoqué dans le but déclaré de retirer des écrits religieux et de ses enseignements, toutes mentions ou références à la réincarnation.

La réincarnation n'était pas une doctrine populaire auprès de la noblesse de l'époque puisqu'elle véhiculait essentiellement un message d'égalité entre les hommes. Il devenait difficile pour les nobles de justifier leur statut divin aux moins nantis. L'idée qu'ils pouvaient se retrouver à la place d'un mendiant dans une vie subséquente ou l'inverse devait leur paraître épouvantable.

De plus, la thèse de la réincarnation soutient que l'humain est responsable de sa croissance et de son épanouissement personnel et enseigne que la vérité de chacun se trouve en lui-même. Ces idées étaient très mal vues par les dirigeants de l'Église ; on ne voulait pas encourager l'homme du peuple à penser pour lui-même.

Malgré tous les efforts déployés pour les effacer, on trouve encore plusieurs références à la réincarnation dans la Bible.

Dans Mathieu 16 : 3, Jésus demanda à ses disciples qui le peuple croyait qu'il était. Les disciples répondirent que certaines personnes croyaient qu'il était Jean Baptiste revenu à la vie. D'autres pensaient qu'il était Élie ou Jérémie, ou encore l'un des grands prophètes des temps anciens. Il devient évident que les gens croyaient à la réincarnation à cette époque.

Plus tard, dans Mathieu 17 : 10-13, lorsque Jésus déclara qu'il était le Christ, celui annoncé dans les prophéties, les disciples l'interrogèrent. Ils demandèrent pourquoi les prophètes avaient déclaré qu'avant la venue du Messie, Élie viendrait à nouveau sur Terre. Jésus leur répondit que la renaissance d'Élie avait bien eu lieu, mais qu'ils ne l'avaient pas reconnu. Ils comprirent alors qu'il s'agissait de Jean Baptiste. Jésus a donc déclaré que Jean Baptiste était la réincarnation d'Élie.

Dans Jean 9 : 1-3, on présente l'histoire d'un homme né aveugle. Les disciples demandèrent à Jésus : « Maître, puisqu'il est né aveugle, qui a commis le péché, cet homme ou ses parents ? » Jésus répondit qu'aucun n'était responsable, que l'homme était aveugle de naissance afin de permettre à Dieu de démontrer sa puissance.

On peut remarquer que personne, ni même Jésus, ne semble trouver absurde le fait que cet homme aurait pu commettre un acte répréhensible avant sa naissance pour ensuite naître aveugle.

LA RESPONSABILITÉ DES ACTIONS

Ceux qui ne comprennent pas la théorie de la réincarnation diront souvent que ceux qui y croient sont attirés par l'idée d'être libéré de la responsabilité de leurs actions. « Vous pouvez agir comme vous le voulez dans votre vie actuelle, vous n'avez pas à vous préoccuper des conséquences, car vous pouvez toujours revenir et obtenir une autre chance », pourraient-ils croire.

En fait, l'une des principales leçons enseignées par la réincarnation est justement la responsabilité individuelle. Plus on étudie le sujet et que l'on en comprend les principes, plus on devient conscient des conséquences de chaque pensée et de chaque action. Lorsqu'on s'aperçoit qu'une action du passé a entraîné des répercussions autant positives que négatives dans notre vie présente, mettre les efforts nécessaires pour être la meilleure personne que nous puissions être aujourd'hui s'impose et devient une motivation très puissante pour construire un meilleur lendemain.

LA RAISON D'ÊTRE
DE LA RÉINCARNATION

L'objectif de la réincarnation est d'offrir à l'être humain l'occasion de parvenir à une meilleure connaissance de notre véritable nature. Nous sommes en constante évolution, un esprit illimité créé par l'Esprit Universel Ultime, à son image. Au moment où nous acceptons de prendre l'entière responsabilité de nos pensées et de nos actions et que nous nous libérons des contraintes de notre existence physique, les aléas de celles-ci prennent moins d'importance. Les cycles de la vie, de la mort et de la renaissance ne sont plus nécessaires. Nous pouvons alors réclamer le statut d'esprit illimité.

TÉMOIGNAGES DOCUMENTÉS
DE RÉINCARNATION

L'un des témoignages de réincarnation les plus fascinants est celui du Dalaï-Lama actuel. Ce moine bouddhiste exilé de son pays, le Tibet, est la Quatorzième Incarnation du Dalaï-Lama.

Peu de temps avant sa mort, le Treizième Dalaï-Lama a prédit les détails de sa renaissance à certains émissaires de confiance. Environ trois ans plus tard, le régent de l'époque eut la vision d'une maison dans laquelle un enfant venait de naître : cet enfant était la réincarnation du Dalaï-Lama. Quelques années plus tard, lorsque le moment fut venu, le régent partit à la recherche de la maison et de l'enfant avec des équipes composées de serviteurs et de moines. La mission secrète les amena à sortir du Tibet et à franchir les frontières de la Chine.

C'est là qu'ils trouvèrent la maison qui était apparue dans la vision du régent. Les serviteurs et les moines changèrent de vêtements pour ne pas être reconnus et ainsi faciliter la fouille des cuisines et des autres endroits où les enfants pouvaient se trouver.

Un jeune garçon de quatre ans les reconnut malgré leurs déguisements et déclara savoir d'où ils venaient. Il leur demanda à voir le collier que portait le régent, affirmant qu'il lui avait déjà appartenu lorsqu'il était la Treizième Incarnation du Dalaï-Lama. C'était tout à fait vrai.

La prophétie se réalisa complètement lorsqu'il donna les détails entourant sa naissance. De plus, il présentait les traits physiques qui avaient été prédits. Plus tard, il identifia correctement les biens qui lui appartenaient parmi de nombreux objets semblables et il réussit avec succès des tests physiques et spirituels rigoureux. Tout cela confirma qu'il était bien la Quatorzième Incarnation du Dalaï-Lama.

LE THÉÂTRE DU MONDE

Nous pouvons comparer le monde à un immense théâtre dans lequel est présentée une pièce sans entracte. Nous nous présentons sur terre pour jouer un rôle déterminé et lorsque celui-ci est terminé, nous quittons la scène pour nous préparer à jouer le rôle suivant.

Pour chacun de ces rôles, nous portons le costume du corps que nous avons sélectionné, masculin ou féminin, d'une apparence séduisante ou non et de la race que nous avons choisie. Mais notre âme reste fondamentalement la même, peu importe le costume qu'elle revêt et le rôle qu'elle joue à chaque apparition au Théâtre du Monde.

L'âme n'a pas de sexe ni de race; c'est la partie immortelle de ce que nous sommes, la partie qui est consciente de son existence.

ÉCRIRE SES RÔLES

Nous écrivons nos propres rôles ou, à tout le moins, nous en esquissons les grandes lignes à chaque nouvelle incarnation. Cependant, la plupart des gens n'en savent rien lorsqu'ils entreprennent leur vie. Par la régression vers les vies antérieures, il est possible d'avoir accès à ce plan créé pour votre vie actuelle.

Non seulement demandons-nous à naître, mais nous choisissons les gens présents, le moment, le lieu et les détails spécifiques à notre nouvelle incarnation. Ces choix ne relèvent pas du hasard, mais ont été déterminés pour des raisons bien précises. Les circonstances choisies ne sont pas toujours faciles et idéales, mais elles permettent beaucoup : d'améliorer notre endurance là où nous étions faibles, d'apprendre à être patient, tolérant et à faire preuve de compassion, d'accroître notre autonomie et d'acquérir une meilleure estime de nous-mêmes, d'apprendre à aimer et à lâcher prise, de connaître les limites de nos responsabilités personnelles, tout cela, et plus encore.

La régression nous informe sur la façon d'intégrer ce plan afin de mieux comprendre les frustrations présentes dans notre vie actuelle et même à s'en départir. Cette nouvelle compréhension nous donne la possibilité d'avoir une meilleure connaissance de nous-mêmes afin de prendre les décisions et les actions nécessaires pour rendre notre vie plus productive et satisfaisante.

QU'EST-CE QUE LA RÉGRESSION VERS LES VIES ANTÉRIEURES ?

La régression vers les vies antérieures consiste simplement à explorer notre mémoire. Dans notre subconscient se trouvent emmagasinés les souvenirs de toutes les expériences de vie que notre âme a conservés depuis qu'elle a reconnu son individualité. La régression permet d'accéder à ces lots de souvenirs afin de récupérer les expériences des vies passées. C'est un peu comme d'essayer de se rappeler des événements qui se sont produits dans notre enfance. Au début, vagues et peu nombreux, les souvenirs en entraînent d'autres au fur et à mesure qu'ils refont surface et tout vient plus facilement.

D'une certaine façon, notre mémoire est comme une pièce avec des classeurs remplis de fiches d'informations qui a été peu ou pas utilisée depuis longtemps. Certains tiroirs sont bloqués ou coincés ; il y a des fils d'araignée ici et là. La poussière est dense et certaines ampoules ont brûlé ; il est difficile de bien voir et en plus, l'archiviste a prolongé ses vacances.

En y mettant un peu du sien et en laissant savoir au « système » que nous avons l'intention de l'utiliser beaucoup, tout se met tranquillement en branle. Peu après, le système fonctionne efficacement et nous permet d'accéder aux informations et aux souvenirs que nous demandons.

Il existe plusieurs moyens d'attirer l'attention de « l'archiviste », c'est-à-dire, d'obtenir l'accès à notre subconscient. Presque tout le monde a déjà fait l'expérience d'une régression spontanée. Par exemple, vous est-il déjà arrivé de rencontrer une personne pour la première fois et de ressentir une affinité immédiate, comme si vous étiez des amis intimes de longue date ? Vous étiez probablement amis dans une vie antérieure et votre subconscient a réagi à la présence de cette âme connue en provoquant une émotion reliée à la grande amitié vécue dans le passé.

Il vous est peut-être déjà arrivé d'être en voyage dans un endroit inconnu et d'avoir l'impression de le connaître déjà, parfois même d'y avoir déjà vécu. Il s'agissait probablement de votre lieu de résidence dans une vie passée. Ces expériences ne sont pas rares.

Les enfants en bas âge démontrent souvent qu'ils ont des souvenirs très précis de vies antérieures. Parfois, ces souvenirs se présentent sous la forme de rêves éveillés ou on les observe dans les jeux qu'ils font. Parfois, ils sont à l'origine de certaines peurs qu'ils éprouvent. L'enfant qui a peur de l'eau se souvient peut-être de s'être noyé. Celui qui a peur du noir ou qui ne supporte pas de se trouver dans un endroit restreint présente clairement les mêmes caractéristiques émotionnelles que les prisonniers de guerre qui vivaient souvent confinés dans de petits espaces et maintenus dans l'obscurité. Habituellement, les enfants oublient rapidement ces souvenirs plus ils approchent l'âge scolaire.

Certaines personnes réussissent assez bien à atteindre leur subconscient par la méditation. La méthode la plus utilisée cependant demeure l'hypnose sous la supervision d'un hypnothérapeute qualifié. Une autre façon facile et rapide d'y parvenir est la relaxation guidée. Un livre publié récemment sur ce sujet donne des instructions simples à suivre. Au début, vous pouvez demander à un proche de vous guider et par la suite, grâce à des exercices, vous pourrez le faire seul et parvenir à vos souvenirs antérieurs aisément. Cette méthode vous permet de rester alerte et conscient, en plein contrôle de vous-même pour toute la durée de la relaxation.

POURQUOI SE SOUVENIR ?

Toute philosophie spirituelle et tout travail psychologique portent le message « Connais-toi toi-même », sous une forme ou une autre. Croire tout connaître de notre vie actuelle, c'est comme penser tout savoir sur l'océan parce que nous en avons observé la surface et les vagues et que nous avons mesuré les marées.

Notre présent est la somme de toutes nos expériences de vies antérieures. Plus nous en apprenons sur celles-ci, plus nous comprenons et contrôlons les impacts qu'elles ont sur notre façon d'interagir avec notre milieu ainsi que sur les liens que nous entretenons avec les autres. À mesure que nous prenons le contrôle de notre vie, nous devenons de plus en plus libres.

Lorsque nous prenons connaissance des expériences de nos vies antérieures, nous pouvons nous appuyer sur les forces, les connaissances et la sagesse acquises dans celles-ci pour enrichir notre vie actuelle. Nous prenons conscience des schémas négatifs et autodestructeurs développés au cours de nos anciennes vies, ce qui nous permet de modifier ces comportements et ces attitudes afin d'arrêter le cercle vicieux et ses effets néfastes.

Un jeune homme qui, chaque fois qu'il était sur le point d'atteindre un des objectifs qu'il s'était fixé, semblait saboter intentionnellement tous ses efforts en prenant une décision qui le faisait échouer. Une régression lui révéla qu'il avait travaillé très fort dans une autre vie pour devenir un homme d'affaires prospère et qu'il avait très bien réussi. Il avait amassé une fortune et acquis beaucoup de pouvoir, mais sa famille et ses amis changèrent d'attitude envers lui et il se retrouva seul et très malheureux. En conséquence, il conservait une crainte profonde du succès dans sa vie présente. Il réussit à se défaire de cette peur lorsqu'il comprit que la réussite ne se résumait pas nécessairement à la solitude et à la tristesse. Il a aujourd'hui atteint certains de ses premiers objectifs et progresse rapidement vers les suivants.

N'avez-vous jamais eu à lutter contre des peurs et des sentiments de frustration qui ne semblaient pas avoir de sources dans votre vie actuelle ? Vous est-il déjà arrivé de mettre beaucoup d'énergie à construire une relation avec une autre personne, malheureusement sans succès ? Vous a-t-on déjà donné une foule de conseils qui n'avaient aucun lien avec votre situation ? Vous arrive-t-il de sentir que, malgré tous vos efforts, tout semble fonctionner de travers ?

La régression vous permet de faire vos propres recherches et de trouver vos propres réponses. Explorer le subconscient et en extraire les souvenirs de vies antérieures s'avère une expérience extraordinaire qui permet d'accéder à un savoir peu commun. Vous pouvez même vous libérer de la peur de la mort.

LE BESOIN DE SAVOIR

Nous serons tous toujours perdants tant et aussi longtemps que nous vivrons dans un monde où des voisins se méprisent à cause de la couleur de leur peau, de leur affiliation politique ou religieuse et que la solution aux problèmes passe par la violence ou la fuite dans la drogue, l'alcool ou des rapports sexuels malsains. Il y a quelque chose de fondamentalement tordu dans le monde lorsque des humains sont considérés comme inférieurs à cause de leur sexe ou lorsque, chaque année, des milliers de jeunes se suicident, ou encore lorsque la valeur humaine s'établit en fonction de la fortune personnelle ou du statut social. C'est tragique de constater qu'une personne heureuse dans un mariage qui perdure soit considérée comme anormale. C'est tout aussi tragique que certains de nos semblables se sentent seuls et inutiles. Nous avons tout à perdre lorsqu'une personne refuse d'assumer la responsabilité de ses actes et lorsqu'une personne vit ou meurt dans la peur.

Lorsque l'humain comprend que les richesses matérielles et les pouvoirs pour lesquels il concentre tous ses efforts aujourd'hui ne vaudront rien dans le monde de demain, il s'applique alors à devenir une meilleure personne, à acquérir du savoir et de la sagesse ainsi qu'à développer des liens authentiques avec sa famille et ses amis, ce qui enrichira son existence à tout jamais.

Par la régression et la découverte de notre propre

création, nous pouvons combler le vide que nous ressentons grâce à la reconnaissance à la fois de notre vraie nature et de la légitimité de notre présence dans l'Univers. En nous efforçant d'en apprendre le plus possible sur nous-mêmes, nous percevons l'Esprit Ultime dont nous faisons partie. À partir de là, nous savons que nous ne serons jamais seuls, sans espoir et sans but. C'est pour cette raison que nous avons besoin de savoir.

QU'EST-CE QUE LE KARMA ?

Le karma, c'est la loi du cycle des causes et des effets, tout simplement. De toutes les méprises et idées erronées sur la réincarnation, le karma arrive en tête de liste. Lors d'événements désagréables, on entend souvent les gens qui ne croient même pas à la réincarnation dire avec un haussement d'épaules : « Ça doit être mon karma. » C'est regrettable, car ceci contribue à perpétuer la fausse idée que le karma est responsable des choses négatives ou désagréables. Pour en donner une définition en termes bibliques, le karma c'est « récolter ce que l'on a semé ». Le karma peut également être défini comme la rencontre avec soi-même.

À chaque action correspond une réaction. C'est une Loi universelle, immuable, sur laquelle nous n'avons aucun contrôle. Ce sur quoi nous avons du contrôle cependant, ce sont nos actions, les conséquences de nos comportements ainsi que l'attitude avec laquelle nous décidons de réagir relativement aux résultats qui s'en dégagent.

Étant donné que le karma n'est ni bon ni mauvais, c'est ce que nous en faisons qui détermine si son influence dans notre vie sera positive ou négative. Ce n'est pas un système de récompenses et de châtiments. La loi du karma nous enseigne que nous sommes personnellement responsables de nos vies et nous aide à vivre en harmonie avec l'Univers.

Grâce à la régression vers les vies antérieures, nous pouvons obtenir une vue d'ensemble des différents processus ou cycles que nous avons mis en mouvement dans le passé qui affectent encore notre vie présente. C'est comme ouvrir un coffre aux trésors. Un des biens les plus précieux que l'on puisse obtenir se trouve exposé devant nous : le savoir. Il est alors possible de voir les erreurs de jugement que nous avons commises et leurs résultats. Nous pouvons également tirer avantage de la situation et la rendre bénéfique afin d'éviter de répéter les mêmes erreurs.

LE COFFRE AUX TRÉSORS
DU SAVOIR RETROUVÉ

Dans ce coffre aux trésors de vos souvenirs lointains se trouve tout le savoir que vous avez accumulé au cours de vos vies antérieures. Ce savoir peut être récupéré, examiné et utilisé. D'autres coffres aux trésors de votre esprit contiennent les habiletés et les talents que vous avez développés dans le passé. Vous pouvez les récupérer et les mettre à profit dans votre vie actuelle.

D'autres parties de votre esprit renferment les émotions provoquées par des événements traumatisants qui se sont produits dans d'autres vies. Ces émotions peuvent expliquer votre peur du feu, des hauteurs, des serpents ou de l'obscurité. Si vous êtes mort de faim dans une vie passée, le fait de le savoir peut vous aider à lutter contre le problème de poids qui vous nuit en ce moment. D'avoir la possibilité de ramener à notre conscience des expériences difficiles qui sont à la base de tels problèmes nous permet de les comprendre et nous libère du traumatisme.

En ce concerne notre karma, il faut s'assurer de ne pas se laisser contrôler par les événements passés. En utilisant la régression comme outil, nous pouvons déterminer si nous avons fait les meilleurs choix possible dans notre façon de l'aborder et de le traiter.

Si nous entretenons la conception que le karma est un système de récompenses et de punitions, cela peut nous mener à choisir une voie inutilement difficile. Par exemple, si dans une autre vie une personne découvre qu'elle en maltraitait une autre physiquement ou mentalement, la conception récompenses-punitions la conduira peut-être à choisir une vie de souffrances dans le but de se racheter. Mais le fait de créer plus de souffrances et de détresse ne répare rien ni ne fait de bien à quiconque. Si au contraire, dans le désir d'expier les actes répréhensibles du passé, nous choisissons de mettre nos efforts à soulager ceux qui souffrent, tous en retireront alors des bienfaits.

Le plus dommage c'est lorsque le concept du karma est mal compris et mal utilisé, et qu'il devient un prétexte pour ne pas aider les autres. À partir d'une compréhension déformée, certains peuvent se dégager de leur responsabilité. « Oh non, je ne peux pas aider cette personne, c'est probablement son karma d'être… (malade, blessée, affamée, en danger, etc.). Je ne voudrais pas interférer avec la volonté de

Dieu ». Cette attitude exprime plusieurs choses dont, surtout, beaucoup d'arrogance. Dans un premier temps, on avance que la misère ou le malheur des gens dépend de la volonté de Dieu. Ensuite, on affirme que, si c'est la volonté de Dieu, on ne peut intervenir. Nous devinons la piètre opinion que possèdent ces personnes au sujet d'un Être suprême. Si nous partageons cette façon de voir les choses, alors comment faire pour déterminer si d'aider quelqu'un ne serait pas notre karma ? Cette façon de penser ne cadre pas avec la logique équilibrée de la réincarnation et du karma.

À QUOI FAUT-IL S'ATTENDRE D'UNE RÉGRESSION ?

Si vous utilisez la technique de relaxation guidée pour faire une régression, au début vous vous sentirez très détendu et serein. Au fur et à mesure que vous vous laisserez guider vers le passé, votre esprit demeurera alerte et vous resterez conscient du lieu où vous êtes et de ce que vous êtes en train de faire. Vous conserverez le plein contrôle de la situation et vous pourrez décider à tout moment d'arrêter ou de modifier la direction de la régression.

Les informations contenues dans votre subconscient peuvent vous parvenir sous différentes formes. Aucune n'est plus précise ou meilleure qu'une l'autre. Afin d'aller puiser dans votre mémoire, on vous posera des questions et vous « revivrez » les événements avec tous vos sens. Cependant, votre guide vous orientera à ne ressentir aucune douleur ni aucune détresse. La plupart du temps, les souvenirs se présentent à vous comme si vous étiez en train de regarder la télévision ou un film. Vous êtes détaché et vous observez l'action qui se déroule sur votre écran mental.

Pour certaines personnes, les réponses viennent simplement à leur conscience, sans images. D'autres ressentent, entendent ou obtiennent les informations de façon différente. Au début, elles arrivent sans beaucoup de détails, mais à mesure que vous prenez un peu d'expérience, les souvenirs seront plus précis et plus faciles à obtenir. À la suite de cette première démarche, vous vous rendrez compte que des souvenirs des autres vies peuvent remonter à la surface spontanément.

LA VIE APRÈS LA MORT

Vous orienterez l'exploration de votre régression selon votre niveau d'expérience et vos désirs. Vous pouvez choisir de revivre votre mort et d'explorer la période qui a suivi jusqu'à ce que vous choisissiez de renaître. Revivre la mort de cette façon n'est pas une expérience traumatisante, car c'est fait de façon détachée. La période qui suit directement la mort peut s'avérer parfois étonnante puisque la personne choisit souvent de demeurer dans les environs quelques jours pour assister à ses funérailles et observer les réactions des gens, ce qui donne souvent lieu à des commentaires intéressants.

Selon les témoignages, une période de repos suivrait la mort, suivie par une auto-évaluation et l'esquisse du plan pour la prochaine vie. Dans cette période de planification, on prépare autant des situations individuelles que des ensembles de situations de même type. Le temps peut être très court entre chaque vie ou il peut durer plusieurs siècles.

Dans les premiers temps, l'idée de pouvoir revenir à la vie encore et encore peut paraître séduisante et excitante, particulièrement auprès de ceux qui craignent la mort. Cependant, à mesure que nous en apprenons plus grâce à la régression, notre attitude change et ce qui prend le dessus, c'est le désir d'en apprendre encore plus pour s'épanouir le plus rapidement possible pour ne pas avoir à revenir.

La peur de la mort disparaît lorsque nous en faisons l'expérience à plusieurs reprises à travers nos différentes vies antérieures. Cela devient une autre partie du cycle, une naissance dans un monde matériel suivie d'une naissance dans un monde immatériel.

Lorsqu'on s'arrête pour y penser, nous dépensons énormément de temps et d'énergie dans la peur de la mort, cette grande inconnue, alors que nous devrions travailler à être plus en santé pour vivre plus longtemps. Lorsque l'inconnu devient connu et que la peur s'envole, nous pouvons alors consacrer notre temps et notre énergie à vivre, tout simplement.

En conclusion, à la suite d'une régression vers les vies antérieures, seuls des éléments positifs subsistent puisque nous nous sommes libérés des influences négatives et nuisibles provenant des vies passées; nous en avons plutôt retiré des effets heureux et bénéfiques. À la fin du processus, on ressent un sentiment de plénitude et de détente. Le fait de travailler à ce niveau de l'esprit est rafraîchissant et vivifiant.

SOUVENIRS

L'exploration de plusieurs vies antérieures par la régression a pour conséquence de les rendre telle-ment plus excitantes et spectaculaires que celle qui est vécue dans le présent. C'est normal, c'est la façon de fonctionner de la mémoire. Nous ne nous souvenons pas des jours ordinaires et ennuyeux.

Chaque fois que nous abordons le sujet de la réincarnation ou de la régression, on pourrait croire que le monde n'était habité que par des prêtres et des prêtresses, des rois, des reines, des nobles de tous les rangs, des chefs amérindiens ou des filles de chef. L'égo humain étant ce qu'il est, être un leader est plus attirant qu'être un disciple.

Le statut social dans une ancienne vie n'est important que pour l'égo immature. Ce qui compte c'est ce que nous avons fait, tout ce que nous avons appris ainsi que tout ce que nous avons acquis en maturité et en croissance personnelle. De l'avoir fait dans la peau d'un membre de la haute société, d'une femme au foyer, d'un magnat multimillionnaire ou d'un pauvre cultivateur est sans importance. Ce qui traverse le temps, c'est ce que nous sommes fonda-mentalement.

DES BÉNÉFICES INATTENDUS

Judith se sentait de plus en plus contrariée. Elle voulait faire quelque chose de créatif, mais ne se connaissait aucun talent. Elle eut l'idée de suivre des cours, d'art peut-être, mais ça ne l'enchantait pas tellement. Durant une régression, elle a décou-vert qu'elle avait déjà fait des bijoux et qu'elle avait du talent aux travaux d'aiguille puisqu'elle avait brodé des tapisseries murales.

Judith était ravie. Elle entreprit une exploration approfondie des souvenirs de cette ancienne vie pour retrouver ces habiletés créatives. Très rapidement, elle se mit à produire des motifs et quelques bijoux. Sa famille et ses amis ne tarissaient pas d'éloges sur ses créations. Le plus étonnant est que cette jeune femme qui n'avait presque jamais cousu un bouton puisse savoir du jour au lendemain comment exécuter une pièce brodée exigeant une technique plutôt complexe et produire des œuvres décoratives complexes et merveilleuses.

UNE VIE SAUVÉE

Ken, David, Erica et Mary étaient partis pour une longue randonnée avec leur sac à dos dans un secteur reculé et sauvage. Ils étaient à deux ou trois jours de marche de la zone habitée la plus près. Ken avait une douleur persistante au pied causée par une écharde qui s'était prise dans son bas et qui s'enfonçait de plus en plus dans l'arche. Ken ignora la douleur et poursuivit la randonnée avec les autres.

Le soir, une fois le camp établi, Ken retira l'écharde et pensa avoir tout enlevé. Il ne tint pas compte de l'irritation mineure qui persistait. Le lendemain, la randonnée s'avéra longue, difficile et très chaude et Ken ne se sentait pas très bien, mais les autres non plus. Cependant, à la fin de la journée, il parut évident qu'alors que les autres étaient simplement fatigués et accablés par la chaleur, Ken, pour sa part, était fiévreux et sérieusement malade. Lorsqu'il retira sa botte, son pied apparut infecté et enflammé et on pouvait voir une longue marque rouge jusqu'à sa cheville. Ken avait sûrement une infection du sang. Son état empirait à vue d'œil. Il ne pouvait certainement pas se remettre à marcher et son état ne permettait pas que quelqu'un du groupe fasse l'aller-retour pour chercher de l'aide.

Érica avait déjà fait l'expérience de plusieurs régressions. Elle se rappelait un certain nombre de vies dans lesquelles elle avait pratiqué la médecine et elle possédait une grande connaissance des herbes médicinales. Faisant appel à tous les souvenirs qu'elle conservait de ces régressions, elle ouvrit et pansa la plaie. À l'aide d'une petite bouteille de verre à moitié remplie d'eau chaude, elle pratiqua une succion sur la plaie qu'elle couvrit ensuite d'un cataplasme composé d'ail et d'herbes médicinales qu'elle avait trouvées dans les environs. Pendant la nuit, elle donna également à Ken des petites quantités d'ail à manger. Elle se souvenait avoir déjà utilisé l'ail pour combattre les infections dans certaines anciennes vies et savait que des études récentes en avaient confirmé les propriétés antibiotiques.

Le matin suivant, Ken se sentait déjà beaucoup mieux et l'infection semblait avoir perdu du terrain. Ils continuèrent le même traitement et trois jours plus tard, la fièvre tomba et seule une petite marque rouge entourait la blessure. Ken put reprendre et terminer la randonnée en pleine forme.

LA PEUR DES HAUTEURS

Walter était représentant commercial pour une grande entreprise. La terreur des ascenseurs limitait considérablement ses activités. Il avait même de la difficulté à emprunter des escaliers roulants ou faire quoi que ce soit qui impliquait un mouvement rapide de haut en bas, comme du ski alpin ou d'être en voiture sur une route montagneuse.

Ce handicap entraînait tout un lot de problèmes pour Walter. Quand c'était possible, il grimpait les étages en prenant l'escalier. S'il ne pouvait l'éviter, il prenait une forte dose de tranquillisants avant de prendre l'ascenseur, ce qui le rendait amorphe et nuisait à ses réunions d'affaires.

Il avait tenté plusieurs moyens de contrer ce problème, mais en vain. Il n'avait réussi qu'une seule fois à prendre l'ascenseur sans tranquillisant, sans être complètement traumatisé, sans crier et sans vomir.

Un jour, dans un café, Walter surprit la conversation entre deux étrangers; l'un d'eux racontait comment il avait vaincu sa peur invalidante du feu grâce à une régression vers ses vies antérieures. Il n'avait aucune idée de ce dont il s'agissait vraiment, mais était prêt à tout pour tenter de vaincre sa phobie. Il interrompit les deux hommes et leur expliqua sa situation. Il obtint le nom et les coordonnées d'une personne qui pouvait l'aider à faire une régression.

Walter recula dans son passé vers une vie dans laquelle il était un ingénieur minier au chômage qui effectuait de la prospection pour combler ses journées.

Son partenaire et lui avaient découvert une vieille exploitation commerciale, abandonnée depuis plusieurs années. Il y traînait une grande quantité de vieilles machineries rouillées. Ils avaient exploré l'ancien puits à l'aide d'un seau à minerai et d'un treuil tiré par leurs mulets. Un après-midi, Walter qui se trouvait dans le bas du puits voulut remonter à la surface. Il y était presque lorsque, soudainement, le seau à minerai se détacha du treuil et tomba brusquement jusqu'au fond du puits, entraînant Walter dans sa chute. Il ne survécut que quelques minutes après l'impact.

« Cette sensation ! », s'exclama Walter. « Oh ! Comme je reconnais cette sensation atroce qui décroche le cœur lorsque le sol se dérobe sous les pieds. C'est ce que j'ai ressenti ou anticipé chaque fois que je devais prendre l'ascenseur ou l'escalier roulant. Je vous dirais que c'est comme la sensation dans votre estomac lorsqu'on se trouve soudainement sur une pente abrupte en voiture : un haut-le-cœur et des frissons d'effroi entre les omoplates. Multipliez cela par cent, ajoutez le sentiment d'être sur le point de mourir, et vous comprendrez ce que je vis depuis toutes ces années ».

À la fin de sa régression, on lui donna des suggestions positives pour le libérer des effets physiques et psychologiques du drame et pour le soulager des émotions négatives reliées à cet événement de sa vie antérieure. (Souvent, le simple fait de se remémorer ce qui cause la phobie est suffisant pour l'éliminer, mais des affirmations positives suggérées lorsque le sujet est dans un état de conscience profond constituent des renforcements encore plus efficaces.) Walter était extrêmement nerveux les premières fois qu'il a pris l'ascenseur, mais peu de temps après, il ne s'en préoccupait même plus.

Voici une anecdote supplémentaire concernant l'expérience de Walter. Durant sa régression, il a découvert que son partenaire avait trouvé un riche filon de minerai et que c'était lui qui, par avidité, avait coupé le lien qui maintenait le seau. Walter a reconnu son vieux partenaire qui, dans sa vie actuelle, est un riche homme d'affaires qui travaille dans la même ville que lui. « C'est drôle », commenta Walter, « tout le monde en ville aime cet homme et croit qu'il est parfait. Je me suis toujours senti étrange car, de mon côté, il me donnait l'impression d'être malhonnête et j'ai toujours évité de faire des affaires avec lui, j'évitais même de lui tourner le dos. Aujourd'hui, je peux être plus objectif et découvrir ce qu'il en est exactement de cet homme dans cette vie. »

L'histoire de Walter soulève un autre point à considérer en ce qui concerne le karma et le libre choix. Parfois, ce sont les actions et les décisions des autres qui nous affectent et nous n'avons aucun contrôle là-dessus. La façon dont nous réagissons à ces situations est cependant de notre ressort. Nous pouvons être tracassés et en faire tout un plat ou encore, transformer le tout à notre avantage et faire quelque chose de constructif pour changer la situation.

Une dame d'âge moyen dont les enfants étaient maintenant adultes raconte cette histoire qui représente un des événements marquants de son enfance. Lors de la Seconde Guerre mondiale (elle avait environ 5 ans), elle et sa famille étaient en voiture. Ils roulaient à travers une région désolée du Sud-Ouest lorsqu'un des pneus de la voiture éclata. Durant cette période, les pneus étaient très difficiles à obtenir, car ils étaient rationnés. La ville la plus proche se trouvait à 80 km. Le père décida de les laisser (elle, sa mère et son frère de 12 ans) et fit de l'auto-stop pour se rendre en ville et tenter de se procurer un pneu. Ils avaient peu d'eau et de nourriture. Il faisait très chaud et la seule ombre qu'ils pouvaient trouver provenait de quelques maigres buissons. Tous les éléments d'une journée misérable s'y trouvaient. La mère permit au garçon d'utiliser ses connaissances de scout pour trouver de l'eau. Elle le surveillait prudemment pour s'assurer qu'il ne se perde pas, mais le laissait explorer la région sauvage qui les entourait. Il revint finalement avec son butin. En présentant son bidon plein d'eau, il avait la fierté d'un homme de 10 pieds et se sentait tout aussi invincible qu'une montagne. Entretemps, la mère et la fille avaient placé une couverture sous les buissons et avaient commencé à construire une ferme miniature dans la poussière. Les champs étaient clôturés avec de petits bâtons et des cailloux et on distinguait les labours, fait avec les doigts. De minuscules plantes représentaient les pousses de semis. Les maisons et les étables étaient faites de roches et de petits rondins. Une partie de l'eau trouvée fut utilisée pour faire un petit lac et les insectes constituaient le cheptel.

La journée qui s'annonçait misérable s'était transformée en une belle journée agréable. Plus de 40 ans plus tard, les deux enfants se souvenaient de cette journée comme un des plus beaux moments de leur enfance. Il aurait été facile de se représenter cette journée d'une façon complètement différente : tous accablés de chaleur et malheureux, se plaignant de l'inconfort et des désagréments, les enfants qui harcèlent la mère, la mère en colère et inquiète. Mais cette jeune mère décida de saisir l'occasion pour en faire une aventure et ce faisant, créa des souvenirs impérissables.

Nous avons toujours le choix de notre réaction face aux situations qui se présentent à nous, que ce soit les situations qui résultent de nos propres actions ou de celles des autres. Nous avons aussi toujours le choix de la façon dont nous traiterons les aspects karmiques de nos vies. On peut se laisser porter au gré des marées, ce qui habituellement n'entraîne pas des résultats très satisfaisants ou bien nous pouvons décider de saisir l'opportunité comme une expérience d'apprentissage et de transformer la situation de manière constructive.

LA RÉGRESSION TEMPORELLE

La régression offre une autre application importante et utile qui s'appelle la régression temporelle. Celle-ci ramène le sujet dans le passé de sa vie actuelle pour trouver des solutions à ses problèmes. On pourrait croire que la plupart des difficultés prennent leur racine dans les vies passées, en fait, la majorité des problèmes proviennent d'événements qui se sont produits dans la tendre enfance de notre vie présente.

De la naissance à la préadolescence, tout particulièrement pendant la période préscolaire, l'esprit d'un enfant est très influençable. Pendant cette période, son cerveau fonctionne à la même fréquence que celui un adulte au courant d'une séance d'hypnose. L'esprit d'un enfant est donc très perméable et sensible à la suggestion. Il acceptera les faits présentés d'emblée, sans les analyser, particulièrement ceux qui sont répétés plusieurs fois. Des recherches récentes indiquent même que, dans les derniers mois de la grossesse, le cerveau d'un enfant est influencé par la musique, les voix et les autres sons de l'extérieur.

Les origines de nombreux problèmes d'estime ou de perception de soi peuvent être retracées dans les premières années de l'enfance. Des paroles ou des actions blessantes à l'égard du jeune enfant peuvent entraîner des problèmes de santé, des difficultés d'apprentissage, des troubles alimentaires, des échecs à répétition ou des problèmes de comportements. De la même façon, les succès, une attitude positive et la confiance en soi résultent de l'attitude positive qui lui est témoignée et des encouragements qui lui sont prodigués.

Si nous répétons constamment à un enfant qu'il est idiot ou stupide, qu'il ne peut apprendre ou ne peut rien faire de bien, il fonctionnera comme un enfant plus jeune que son âge, même s'il possède les capacités d'un génie. Si par contre, on lui répète régulièrement qu'il peut accomplir tout ce qu'il se propose de faire et qu'il peut apprendre tout ce qu'il veut, il y a de fortes chances qu'il soit suffisamment confiant pour réussir.

Chez un adulte, on perçoit facilement la programmation négative qu'il a pu subir dans son enfance. Tu ne feras jamais rien de bien. Tu ne seras jamais un homme. Personne ne voudra de toi. Personne ne pourra aimer quelqu'un comme toi. Tu es gros(se) et laid(e). Tu es tellement maladroit(e). On observe l'effet de ces phrases dégradantes, par exemple, chez l'homme qui veut toujours prouver sa masculinité, chez la femme qui ne trouve sa valeur que dans son apparence et qui n'est jamais satisfaite, chez les gens qui croient que tout ce qu'ils font ne vaut rien, ou encore, chez ceux qui n'acceptent pas d'être aimés.

Parfois, certains comportements particuliers ou bizarres s'installent à partir de cette période de l'enfance. Une femme racontait qu'une étrange habitude lui empoisonnait la vie quotidiennement depuis 40 ans. D'aussi loin qu'elle pouvait se souvenir, elle faisait tout pour ne pas uriner. Elle se retenait le plus longtemps possible avant d'aller à la salle de bain et parfois, elle mouillait même son pantalon. Enfant, lorsque la famille partait en voyage et s'arrêtait à une station-service, elle souffrait le martyre, mais feignait de ne pas avoir envie et refusait d'aller aux toilettes. Elle ne savait pas pourquoi elle s'en empêchait, ce n'était pas ce qu'elle voulait, mais c'était plus fort qu'elle. Elle urinait souvent dans ses vêtements, ce qui l'humiliait beaucoup. Elle a mouillé son lit jusqu'à l'adolescence, ce qui fut une grande source d'embarras pour elle. Son frère ainé l'a taquinée à ce propos toute sa vie. Elle ne voulait pas être comme ça, mais il semblait qu'elle n'avait pas de contrôle sur ce comportement. Ses parents ignoraient le problème ou réagissaient comme s'il ne s'agissait que de l'entêtement de sa part. Son frère continuait de la ridiculiser et elle n'osait se confier tellement elle était embarrassée. Elle développa toutes sortes de stratégies pour camoufler ce problème, mais parfois le comportement ressurgissait dans des moments inopportuns.

Lorsqu'elle atteignit l'âge adulte, elle décida de s'attaquer au problème. Lorsqu'elle commençait à en ressentir le besoin, elle se forçait à aller à la salle de bain. C'était une bataille terriblement difficile. Elle éprouvait un mélange de sentiments contradictoires comme la peur, la culpabilité (comme si elle agissait de façon répréhensible) et le soulagement.

Elle ressentait également beaucoup d'agressivité envers sa mère et son frère. En ce qui concernait ce dernier, c'était compréhensible, mais elle ne s'expliquait pas l'hostilité qu'elle éprouvait pour sa mère.

Plusieurs années passèrent et son problème rodait toujours en arrière-plan, mais il ne lui causait pas de véritables difficultés. Elle s'intéressa à la régression, en fit quelques-unes vers des vies antérieures et en arriva finalement à la régression temporelle. Au cours de son exploration, elle se revit à l'âge de 18 mois, assise sur le petit pot. Sa mère l'encourageait à faire pipi puis la frappa douloureusement sur la jambe. Elle ne comprit pas pourquoi ce souvenir faisait surface jusqu'au jour où elle interrogea sa mère sur le sujet. « Oh, mais c'était ma façon de t'apprendre la propreté. Ce n'était pas bien compliqué, je t'installais sur le petit pot toutes deux heures et, pour te faire pleurer, je te frappais à la jambe. J'avais compris que lorsque tu pleurais, tu cessais de te retenir et tu faisais pipi. Je faisais toujours ainsi quand nous devions nous préparer pour aller quelque part, même quand tu étais plus vieille, pour m'assurer que tu allais à la toilette avant le départ. »

Cette histoire est presque un cas classique de thérapie par l'aversion et de programmation négative. Extrêmement efficace puisque la punition associée à l'acte d'aller à la toilette était pratiquée plusieurs fois par jour, sur une période de plusieurs semaines. De plus, l'association demande-punition était renforcée périodiquement pendant plusieurs années lorsque la mère voulait qu'elle aille uriner avant de quitter la maison. Seule une programmation fortement enracinée peut perturber les fonctions naturelles du corps. Un message aussi déconcertant que : « Fais ce que je te dis sinon tu seras puni » ne peut que générer un terrible conflit intérieur.

De façon rationnelle, la femme savait bien que sa mère ne lui voulait aucun mal et qu'elle ne se rendait pas compte de ce qu'elle faisait. Mais après des années d'humiliation et de chagrin, la colère a pris le dessus. Il lui était difficile de gérer ces événements de façon positive. Au cours d'une autre régression temporelle, elle fut dirigée à ne plus se plier à la malheureuse programmation imprimée dans son esprit et à se défaire des émotions négatives en les utilisant plutôt de manière constructive et positive. Cette femme est aujourd'hui libérée de son problème et de sa colère.

LA SANTÉ PROGRAMMÉE

La santé est souvent influencée en réponse à une programmation précoce. On répète souvent aux enfants que s'ils prennent froid ou que s'ils se mouillent les pieds, ils auront le rhume, bien qu'il n'y ait aucune preuve scientifique à cet effet; les rhumes sont généralement causés par un virus. Cependant, partout à travers le monde, on entend des mères et des grand-mères dire : « Je te l'avais dit » au petit Johnny ou à la petite Susie. Pourquoi ? Lorsque le subconscient est soumis de façon répétitive à une information même fausse, il la considérera comme vraie et réagira en conséquence. Ainsi, lorsqu'on répète à un enfant (même à un adulte dans des circonstances appropriées pendant la saison du rhume ou de la grippe) qu'une certaine action ou condition entraînera un rhume, un mal de tête, la grippe ou tout autre malaise physique, le subconscient accepte l'information telle quelle et déclenche les mécanismes corporels qui produiront les symptômes attendus. Inversement, des phrases et des attitudes positives favoriseront une bonne santé et une meilleure résistance aux maladies.

La programmation précoce peut également déclencher un autre effet insidieux. Les enfants sont parfois ignorés ou manquent d'attention lorsque les parents sont occupés. Tous les parents aimeraient avoir plus de temps avec leur enfant et se sentent coupables. Ces faits définissent bien le contexte pour la création potentielle d'un schéma négatif. Petite Susie ou petit Johnny tombent malades. Les parents se sentent coupables. Ils consacrent alors toute leur attention à l'enfant, lui offrent des surprises ; il devient le centre de leur univers. L'enfant reçoit ainsi ce dont il avait grand besoin, des preuves d'amour et d'attachement. Quand l'enfant commence à prendre du mieux, la situation revient soudainement à la normale. La fois suivante, à la suite d'une maladie ou d'une blessure, la séquence précédente se répète. Non seulement le subconscient, mais même l'esprit conscient fait le lien très rapidement entre le fait d'être malade ou blessé et de recevoir l'amour et l'attention désirés.

Cet enfant, une fois devenu adulte, utilisera ce schéma de comportement, car il sera bien enraciné dans son esprit. Il prétendra être malade, ou exagèrera un malaise mineur pour obtenir l'attention ou l'amour de quelqu'un. Il peut y réussir au début, mais cette attitude ne fait pas long feu et peut même chasser les amis ou les proches. En réponse à cela, cette personne construit des scénarios ou crée des situations plus dramatiques pour tenter d'attirer et de retenir à nouveau l'attention des autres. Habituellement, les relations amoureuses ou d'amitié reprennent un peu de vigueur, mais le schéma négatif finit par refaire surface. Il arrive même que le faux malaise devienne réel. La régression temporelle peut corriger ce schéma de comportement en dirigeant la personne au moment de l'événement déclencheur qui s'est produit dans l'enfance et en modifiant les sentiments qui la portaient à l'utiliser.

On peut prévenir une telle situation en ne récompensant pas un enfant malade. On doit réagir de façon normale, avec juste la quantité d'attention nécessaire. Les récompenses et les surprises devraient être offertes lorsque l'enfant se comporte bien et n'est pas malade. Cette façon de faire encourage les comportements positifs et fera une grande différence entre un adulte avec lequel on se sent bien et un adulte qui nous gruge de l'énergie juste par sa présence.

L'ESPRIT HUMAIN

L'esprit humain est une création formidable et complexe, probablement l'un des aspects immatériels les moins compris. L'esprit est la contrepartie incorporelle du cerveau. Ce dernier peut égaler le plus puissant ordinateur construit par l'homme et même l'excéder. S'il est bien programmé, il a une capacité infinie pour stocker et récupérer les informations de façon efficace. L'esprit quant à lui, possède le libre arbitre, la créativité et peut ressentir les émotions, ce qui le distingue de l'ordinateur. La portée de l'esprit est infinie et peut voyager à travers le temps et l'espace en une fraction de seconde. Il traverse toutes les frontières et son réservoir de mémoires survit à la mort du corps physique. L'esprit est immortel et il détient le pouvoir de l'imagination. Rien n'a jamais été créé qui n'ait pas déjà été créé par l'imaginaire de l'esprit.

Ce que nous appelons le subconscient, qui existe à un certain niveau de l'esprit, se manifeste par les ondes cérébrales *alpha*, *thêta* et *delta*. Celles-ci détiennent de grands pouvoirs à la fois constructifs et destructifs. À ce niveau de conscience, la raison et la logique n'interviennent pas et il n'y a pas de jugement de valeur. L'action se fait en fonction des informations ou des instructions reçues, sans questionnement. La logique, la raison et le jugement dépendent de l'esprit conscient, soit lorsque le cerveau émet des ondes *bêta*. L'humain doit apprendre à démolir les barrières artificielles qui séparent sa conscience et son subconscient afin d'accéder aux aptitudes qui lui permettront d'ouvrir les portes qui s'ouvrent sur des possibilités infinies et enfin d'atteindre le plein potentiel de son être. Il peut ainsi vivre tel qu'il était prévu.

Si l'humain apprend à fonctionner comme un être entier, alors la partie logique ou raisonnée de sa conscience évaluera et interprétera de la bonne façon les informations qui alimentent son subconscient. Il pourra ainsi vivre librement, tel qu'il le devrait, au lieu de dépenser temps et énergie à gérer les effets induits par le stockage aléatoire de perceptions erronées et d'instructions illogiques qui créent des situations nuisibles et inutiles. La régression vers les vies antérieures contribue à faire les premiers pas pour traverser cette frontière.

VIES ANTÉRIEURES OU FRUITS DE L'IMAGINATION ?

Les expériences vécues en cours de régression sont-elles vraiment des souvenirs de vies passées ou simplement le résultat d'une imagination débordante ? Est-ce là la vraie question ? Pas vraiment. Qu'elle soit mémoire ou imagination, la source des solutions n'affecte pas la validité du processus comme technique de résolution de problèmes.

Si les gens veulent résoudre leurs problèmes, leur esprit le veut tout autant et tous les efforts seront mis de l'avant lorsque l'occasion se présentera. Qu'Albert James, l'alcoolique, n'ait pas vraiment vécu en tant que travailleur sur les chantiers de voies ferrées pour mourir dans un accident ensuite, est-ce vraiment important ? Et si ce n'était que le fruit de son imagination ? Il est quand même parvenu à contrôler son problème d'alcool avec cette mémoire, qu'elle soit fondée ou imaginée.

Est-ce que Ken serait moins vivant si Érica n'avait recouru à ses connaissances médicales et d'herboristerie, acquises de ses autres vies ? Mais si ce savoir ne provenait pas de ses autres vies, comment son esprit s'est-il aventuré pour l'obtenir ? Si on rejette la thèse des souvenirs de vies antérieures, les autres avenues sont mystérieuses. Est-ce que l'esprit humain n'a qu'à tendre le bras pour acquérir des connaissances et des talents ? Peu importe la réponse, la régression demeure une méthode pour approfondir la connaissance de soi.

D'AUTRES POSSIBILITÉS

Ceux qui mettent la réincarnation en doute expliquent de différentes façons comment les informations obtenues peuvent participer à la résolution de problèmes. Certains disent que si la personne est impliquée dans une situation particulièrement difficile ou douloureuse dans sa vie, il lui est plus facile de s'en détacher et de la gérer sous le couvert d'une vie passée.

Il est vrai qu'une personne est parfois trop impliquée émotivement dans une situation ou une relation problématique qu'elle ne peut plus y poser un regard objectif pour trouver une solution. Il arrive aussi qu'une personne n'ait pas suffisamment de maturité pour voir, accepter et reconnaître la responsabilité qui lui revient quant à la situation. Est-ce que ces souvenirs de vies antérieures seraient une fabrication de l'esprit pour rendre la situation plus objective et ainsi faciliter la responsabilisation personnelle ? La seule personne qui peut répondre c'est vous, selon vos propres expériences de régression.

L'expérience de régression permet d'accepter notre responsabilité personnelle et elle participe à nous libérer du fardeau d'une culpabilité inutile et malsaine. Les relations interpersonnelles en bénéficieront. De nouvelles perspectives qui s'ouvrent sur notre vraie nature et ses possibilités procurent un sentiment de complétude et de bien-être. La régression offre un sain exutoire à la colère, à la frustration et au stress. Notre attitude change. Notre point de vue sur ce qui est important ou non dans la vie change. Nous envisageons la vie d'une manière beaucoup plus détendue et notre santé mentale, émotionnelle et physique s'en porte d'autant mieux.

La régression vers les vies antérieures offre la possibilité aux personnes avec un problème de dépendance d'explorer, de comprendre et d'éliminer les causes profondes qui incitent à l'utilisation de drogues et d'alcool. La régression vers les vies passées et la régression temporelle représentent des outils précieux et le jour viendra peut-être où elles seront plus ouvertement utilisées auprès des individus aux prises avec ces problèmes.

Pour mieux comprendre les maux qui affectent notre société pour éventuellement les éliminer, l'utilisation de la régression démontre un très fort potentiel. Si la régression était considérée comme un processus standard dans le cheminement des jeunes, plusieurs problèmes pourraient être pris en compte bien plus tôt. La violence potentielle de certains individus pourrait être désamorcée. De même que ceux qui sont susceptibles de développer des dépendances aux drogues ou à l'alcool pourraient être pris en charge plus rapidement, avant que les difficultés ne fassent surface. Les effets des événements s'étant produits dans les vies passées pourraient être dissipés avant que la personne n'hypothèque plusieurs années de sa vie à cause de problèmes de santé, de troubles alimentaires, de troubles d'apprentissage, etc.

Nous pourrions reconnaître les traits de caractère positifs et les bonnes habitudes de vie et ainsi les encourager. Nous pourrions aussi rechercher les talents et les connaissances qui pourraient nous aider dans notre chemin de vie présent.

Au moyen de la régression vers les vies antérieures, l'humanité comprendra peut-être que l'avenir de chaque individu est en jeu et que ce dernier doit intervenir dans le développement durable des technologies. On dit souvent qu'il faut « faire de notre monde un endroit sécuritaire et agréable à vivre pour nos enfants et nos petits-enfants ». Il s'agit d'une déclaration ambitieuse souvent prononcée, mais qui ne semble pas avoir de poids dans le monde des affaires ou dans le domaine de la science lorsque des décisions sont prises. Souvent, des individus qui ne regardent que leur intérêt personnel et financier prennent des décisions expéditives et irresponsables, car elles permettent de générer de plus grands profits plus rapidement. Peu importe que cela mène à la pollution de l'atmosphère, de la terre et de l'eau, à des épidémies ou à des conflits. Ils auront leurs profits, ils obtiendront la gloire ou ils seront morts en croyant qu'ils n'auront pas à vivre les conséquences de leurs actes. Si ces personnes savaient qu'elles vivraient sur cette planète pendant de nombreuses vies à venir, dans l'environnement et le climat social qu'ils auront participé à créer, leurs décisions seraient fort probablement très différentes et seraient mûrement réfléchies et d'une grande prudence.

UNE AVENTURE SANS FIN

L'esprit ne connaît aucune limite à l'exception de celles que nous acceptons. Grâce à lui, nous sommes libres de voyager à travers le temps et l'espace. Nous pouvons aller aussi loin que nous le voulons dans le passé par la régression. Quand et comment notre âme s'est-elle mise à exister ? Nous pouvons explorer et nous souvenir de cet instant particulier, au début des temps, à ce moment précis où nous avons pris conscience de notre existence individuelle. Nous pourrions constater l'évolution créative de l'homme, avoir un regard particulier sur les raisons de notre présence ici, apprendre comment nous y sommes parvenus et pourquoi les évolutionnistes et les créationnistes ont à la fois tort et raison.

La régression vers les vies antérieures ouvre une porte sur l'Univers. À travers elle, nous pouvons retracer l'histoire de l'Univers, celle de notre planète ainsi que notre propre histoire en tant qu'esprit illumité. Nous pouvons également découvrir d'autres civilisations avancées ayant vécu dans un passé lointain, mais qui sont disparues sans laisser de trace. Nous pouvons apprendre si des contacts avec d'autres formes de vie quelque part dans l'Univers se sont déjà faits, si ce sont des histoires fantaisistes ou encore de simples rêveries.

En explorant nos origines et la raison profonde de notre existence, nous pouvons découvrir notre destination ultime. Explorer la grande inconnue, la mort, et parvenir à comprendre qu'il s'agit de la fin normale et souhaitable d'un cycle d'apprentissage dans le monde physique nous ramenant à notre existence première dans le monde immatériel. Nous en venons à voir ce monde comme un pensionnat dans lequel nous séjournons pour un certain nombre de semestres, au terme desquels nous retournons à la maison, dans le monde immatériel, pour les vacances, les examens et la planification de la prochaine vie.

LES ASPECTS PRATIQUES

Même s'il existe plusieurs applications exotiques et ésotériques à la régression vers les vies antérieures, la plus importante demeure l'amélioration de la qualité de notre vie de tous les jours. Apprendre à s'aimer et à être tolérant envers soi-même vient avant même de pouvoir aimer et tolérer les autres. Cette nouvelle connaissance de soi vous permettra de comprendre le type de relations que vous avez avec les gens autour de vous et à les améliorer. Vous comprendrez l'origine de vos peurs dans certaines situations, vos craintes concernant certaines personnes ou certains objets, vous pourrez donc vous en libérer. Vous accéderez à certaines informations qui vous permettront de faire des choix plus éclairés, pour votre carrière par exemple. Votre connaissance de vous-même vous permettra d'établir une relation durable, épanouissante et solide avec votre conjoint et votre nouveau savoir vous aidera dans l'éducation de vos enfants.

La régression vers les vies antérieures est un outil formidable pour remodeler la personne que vous êtes maintenant et pour réorganiser votre vie tout en vous guidant dans une aventure fascinante.

Laissez votre divan ou votre chaise derrière vous et préparez-vous à partir aux quatre coins du monde et aux confins du temps. Prenez un mouchoir, il se pourrait que vous pleuriez de joie, ou de tristesse. Peut-être découvrirez-vous des vies pleines de compassion ou de cruauté, de générosité ou d'égoïsme, de courage ou de lâcheté, d'amour ou de haine. Peu importe ce que vous trouverez, appréciez l'aventure et utilisez vos nouvelles connaissances à bon escient.

Souvenez-vous que les actes posés dans ces anciennes vies ont influencé votre vie présente. Ce que vous accomplissez aujourd'hui affectera votre avenir.

Bon voyage !

TABLE DES MATIÈRES

LES ESSENTIELS

OCTAVE
ÉDITIONS